쉬운 임당

닥터다이어리

목차

처음임당 3주차

닥터다이어리 실현 가치		04
프로그램 목적		06
닥터다이어리가 제안하는 건강 습관 형성 메뉴얼		08
처음임당 커리큘럼		10
처음임당 3주차	DAY 11. 담백하게 먹기	12
	DAY 12. 장보기 전 계획 세우기	24
	DAY 13. 외식 전, 미리 음식 메뉴 적어보기	36
	DAY 14. 식이섬유, 단백질 먼저 먹기	48
	DAY 15. 하루 20분, 허벅지 운동하기	60
이 책을 만든 사람들		72

닥터다이어리 실현 가치

닥터다이어리

만성질환관리
헬스케어 플랫폼

질환은 언제나 외롭고 '혼자'라는 생각이 들게 합니다.
닥터다이어리는 질환자들이 이러한 감정 침체에서 벗어나
일상으로의 회복이 가능하도록 돕고
건강의 가치를 지속적으로 제공할 수 있도록 노력합니다.

닥터다이어리는 만성질환관리 헬스케어 서비스를 기반으로
환자들의 생명 연장 가치를 실현합니다.
당뇨인의 평생관리 파트너로서 모바일 앱을 통한
혈당관리, 질환 정보, 커뮤니티 서비스를 제공하고 당뇨관리에
필수적인 의료기기, 건강식품, 식단 등을 온라인 커머스와
무화당 오프라인 매장을 통해 판매, 개척해 나갑니다.

향후 닥터다이어리는 질환 관리 서비스를 넘어
만성질환을 가지고 있는 사람들의 삶에
필수적인 공존질환 관리 단일 플랫폼으로 발전하고자 합니다.

닥터다이어리 공동창업자 *송제윤, 류연지*

닥터다이어리 어플리케이션

혈당 기록, 식사 기록, 만보기부터 닥다몰, 건강보고서, 코칭 서비스, 유저 커뮤니티 등의 기능을 지원하는 어플리케이션으로 당뇨에 필요한 정보와 서비스를 전부 모아뒀습니다.

닥터다이어리는 앱스토어와 구글플레이스토어에서 다운로드 가능합니다.

프로그램 목적

쉬운임당

**엄마를 위한
작은 배려**

"설마 내가 임당이겠어?"

설마 했던 임신성 당뇨병 진단은 엄마에게 대단히 충격적인 일이고,
임당은 엄마들이 가장 부정하고 싶은 증상 중 하나입니다.

임당 때문에 사랑스러운 아가에 대한 걱정이 커져만 갑니다.
먹을 것에 대한 고민이 많아지고, 음식 절제는 스트레스로 다가옵니다.
어떤 운동을 해야 할지 정하는 것도 어려운 일인데, 실천은 더 어렵습니다.

그런데 임당은 관리가 필요한 것은 분명하지만,
위기를 기회로 바꿀 수 있는 절호의 타이밍이기도 합니다.
더 건강한 엄마가 되려는 노력은 더 건강한 아이와의 만남을 약속합니다.

본 교재는 그 어느 때보다 건강 관리가 절실해진 엄마를 위해
더 쉽고, 간단한 임당 관리 방법을 알려주기 위해 개발되었습니다.

엄마의 건강, 엄마의 책임감, 엄마의 자존감을 지키며
건강한 식단과 활동적인 생활을 하는 방법을 배우고 실천해 보세요.
건강한 실천을 늘릴수록 걱정은 희망으로 바뀌어 갑니다.

본 교재를 읽는 모든 엄마를 응원합니다.

닥터다이어리 연구소장

처음임당

임신성 당뇨병 진단은 엄마에게 큰 충격으로 다가옵니다.
엄마의 건강과 뱃속의 아가에 대한 걱정도 크지만,
이제부터 임당을 어떻게 관리해야 할지 막막하다고 합니다.

하지만 임당 관리는 걱정과 불안이 아니라,
엄마와 아가의 건강을 위해 미리 관리한다고 볼 수 있어요.

처음 접하는 임신성 당뇨병의 막막함을 덜어드리고,
임당 관리를 쉽고 간단하게 하는 방법을 알려드리겠습니다.

닥터다이어리가 제안하는 건강 습관 형성 메뉴얼

01 평가하기

당뇨병을 가장 잘 관리하는 방법은 건강한 습관을 하나씩 늘려가는 것인데요. 현재의 건강 습관을 평가해보세요! 혹시라도 문제가 되는 습관이 있어도 걱정하실 필요는 없어요. 나의 건강하지 않은 습관이 무엇인지 아는 것이 건강 습관 형성의 시작이에요!

02 조언 받기

건강 습관을 평가했다면, 왜 건강 습관이 필요한지, 그리고 건강하지 않은 습관이 지속될 경우 어떠한 문제점이 있는지 알아보아요!
문제가 무엇인지 알 수 있다면, 문제를 개선하는 방법을 찾아낼 수 있어요!

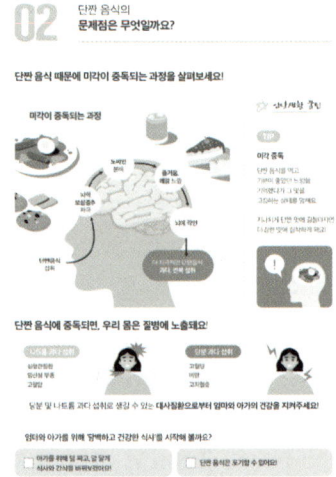

03 목표 설정하기

매일 하나씩 건강 습관 목표를 세워보세요.
닥터다이어리가 제안하는 건강 습관은 어렵지 않아요.
당뇨병 관리를 위해 반드시 필요한 습관을 조금씩 늘려가다보면 저절로 건강이 개선되어요!

04 도움받기

삶의 다양한 상황 속에서 오늘의 건강 습관 목표를 잘 해낼 수 있는 기술을 습득하고, 건강 습관 형성에 대한 자신감을 가져보세요! 자신감은 건강한 행동의 실천 가능성을 높여줘요!

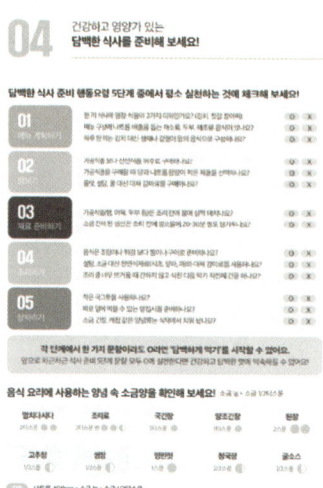

05 미션 도전하기

일상 속에서 건강한 행동을 더 많이 해낼 수 있도록, 닥터다이어리에서 제안하는 미션을 확인해보세요! 그리고 도전할 수 있는 건강 습관에 체크를 해보고, 실제로 그 미션을 수행해보세요! 미션을 훌륭히 해낼 수록 더 건강한 나를 만날 수 있어요!

06 건강 습관 완성

처음임당 커리큘럼

1주차

01 갑작스러운 임당, 그리고 나는 엄마
Misson — 혈당 조절 목표 바로 알기

02 엄마의 현명한 선택, 간식 꾸러미
Misson — 간식에서 단순당 줄이기

2주차

06 임당 여정, 가족의 소중함
Misson — 임당 관리, 가족과 함께하기

07 엄마와 아가, 바람직한 체중 증가
Misson — 적정 체중 바로 알기

3주차

11 단짠 NO! 담백 YES!
Misson — 담백하게 먹기

12 더 건강한 식탁, 똑똑한 장보기
Misson — 장보기 전 계획 세우기

4주차

16 고혈당 유발, 스트레스 OUT
Misson — 오롯이 나만 생각하기

17 긴급 상황, 저혈당 SOS
Misson — 저혈당 상황 미리 알고 대처하기

천천히 익히는 임당 습관 4주 챌린지!

처음임당 커리큘럼

DAY 11

단짠 NO!
담백 YES!

Mission 담백하게 먹기

달콤하고 짭짤한 음식을 맛있는 행복을 줍니다.
하지만 임당 관리를 위해서 피해야 하는 음식인데요.
나도 모르게 단짠 음식에 손이 간다면 어떻게 해야 할까요?
오늘은 단짠 음식을 줄이는 노하우인
담백하게 맛있게 먹는 방법을 알려드리겠습니다.

> **STEP. 01** 평가하기

01 —— 평소 단짠 식사 되돌아보기

엄마와 아가의 건강을 위해
단짠 음식을 피해야 한다는 사실을
알고 있지만, 나도 모르게 손이 가진 않나요?

평소에 달고 짠 음식에
얼마나 중독됐는지 알아보기 위해
단짠 중독 자가 진단을 해보세요.

평소에 내가 즐겨 먹는 음식들을 떠올리며
나의 단짠 식습관을 되돌아보는 거예요.

만약 자가 진단에서 4개 이상 해당한다면,
식습관의 개선이 필요한 상황이에요.

01 단짠단짠 음식, 평소에 즐겨 먹는 편인가요?

'단맛 중독', '짠맛 중독' 자가 진단을 해보세요!

단맛 중독 자가 진단

물 대신 음료를 더 많이 마셔요	☐
단 음식을 보기만 해도 먹고 싶어요	☐
식사 후 달콤한 간식을 꼭 먹어요	☐
주변에 항상 간식이 놓여 있어요	☐
가끔 하루 종일 단 음식만 먹고 싶어요	☐
이유 없이 짜증이 나고 피곤할 때가 있어요	☐
하루 중 힘이 없을 때가 있어요	☐
스트레스받으면 단 음식을 먹어요	☐
배고프지 않아도 단 음식이 생각나요	☐
하루라도 단 음식을 먹지 않으면 집중이 안 돼요	☐

단맛 중독 증상 10개 중 몇 개나 해당이 되나요? (　　) 개

짠맛 중독 자가 진단

생채소 대신 김치를 먹어요	☐
말린 생선, 자반 생선을 좋아해요	☐
젓갈, 장아찌, 조림 밑반찬이 없으면 섭섭해요	☐
음식이 싱거울 때마다 소금, 간장을 더 넣어요	☐
국, 찌개, 면류 등의 국물은 남김없이 먹어요	☐
주로 외식하거나, 배달 음식을 자주 먹어요	☐
덮밥, 국밥 등을 좋아해요	☐
인스턴트, 반조리 음식을 자주 먹어요	☐
쌀밥보다 별미 밥(볶음밥, 비빔밥)이나 덮밥을 좋아해요	☐
마요네즈, 케첩, 쌈장, 양념장으로 자주 곁들여 먹어요	☐

짠맛 중독 증상 10개 중 몇 개나 해당이 되나요? (　　) 개

각 자가 진단에서 4개 이상 해당된다면, 단짠 줄이기를 시작해야 해요!

STEP. 02　조언 받기

02 ── 단짠 중독의 위험

단짠 음식은 뇌의 보상중추를 자극해
더 자극적인 단맛 음식을 찾게 합니다.

이러한 단짠 음식에 중독되면
엄마와 아가가 질병에 노출될 확률이 높아져요.

임신성 부종과 고혈압도 문제지만,
고혈당으로 인해 정상 혈당 유지가
어려운 상황이 생길 수 있기 때문이에요.

그래서 엄마와 아가의 건강을 위해
담백한 식사를 추천드려요.

02 단짠 음식의 문제점은 무엇일까요?

단짠 음식 때문에 미각이 중독되는 과정을 살펴보세요!

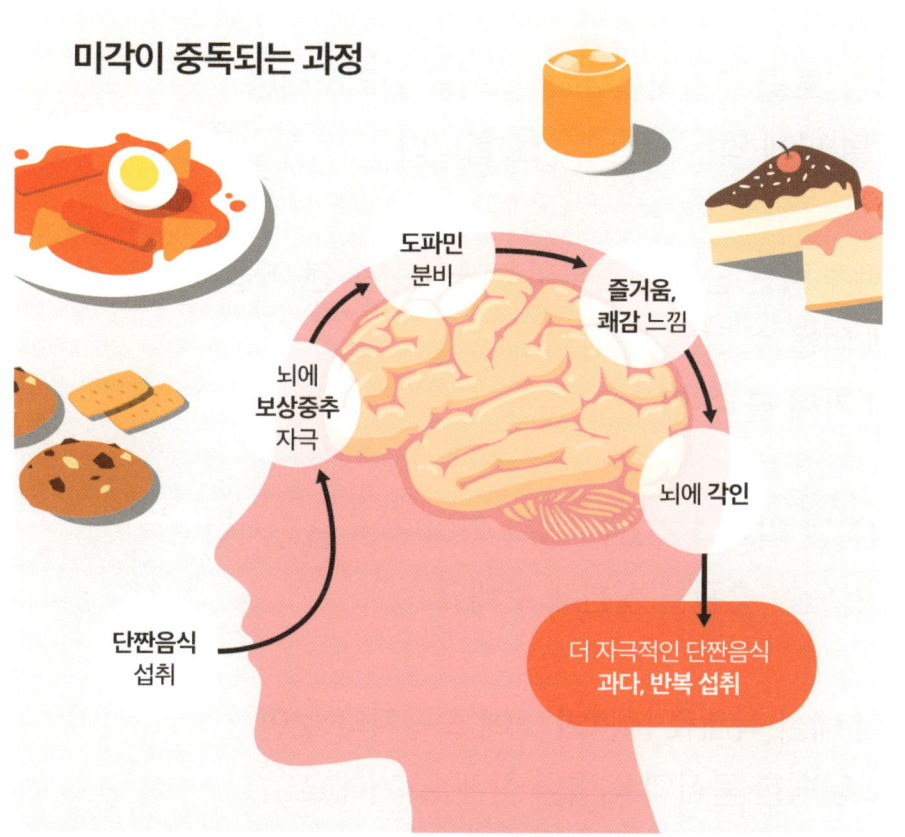

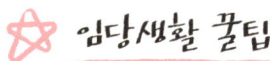

TIP

미각 중독

단짠 음식을 먹고 기분이 좋았던 느낌을 기억했다가 그 맛을 고집하는 상태를 말해요.

지나치게 단짠 맛에 길들여지면 더 강한 맛에 집착하게 돼요!

단짠 음식에 중독되면, 우리 몸은 질병에 노출돼요!

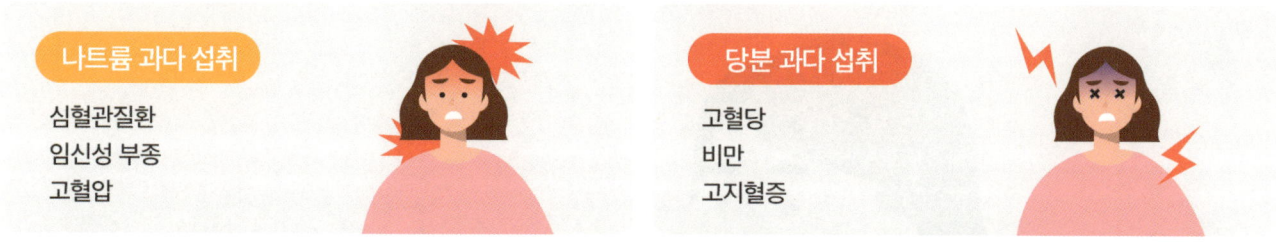

나트륨 과다 섭취
- 심혈관질환
- 임신성 부종
- 고혈압

당분 과다 섭취
- 고혈당
- 비만
- 고지혈증

당분 및 나트륨 과다 섭취로 생길 수 있는 **대사질환으로부터 엄마와 아가의 건강을 지켜주세요!**

엄마와 아가를 위해 '담백하고 건강한 식사'를 시작해 볼까요?

☐ 아가를 위해 덜 짜고, 덜 달게 식사와 간식을 바꿔보겠어요!

☐ 단짠 음식은 포기할 수 없어요!

STEP. 03 목표 설정하기

03 ── 덜 짜게 덜 달게 담백하게

건강의 적신호를 유발하는 단짠 음식을 멀리하려면
덜 달고, 덜 짜게 먹는 습관이 중요합니다.

평소에 짜게 먹는 습관을 하루아침에 바꾸는 건 어렵지만,
담백하게 먹을 수 있는 식습관을
조금씩 추가해 볼 수 있어요.

김치는 4쪽만 먹거나 소스는 살짝 찍어 먹는 습관처럼
바로 할 수 있는 습관을 실천해 보세요.

단짠 음식 대신 식재료 본연의 맛에 집중하다 보면
건강하고 담백한 음식의 매력을 찾게 될 거예요.

03 건강 적신호인 단짠 중독을 피하기 위해 '담백하게 먹기'를 추천드립니다!

담백하게 먹을 수 있는 방법 중 도전해보고 싶은 것에 체크해 보세요!

- ☐ 김치는 끼니에 4쪽만 먹어요
  소금절인 김치는 고염분 식품이에요
- ☐ 국, 찌개, 국수는 건더기 위주로 국물은 남겨요
  국물에 나트륨이 녹아 있어요
- ☐ 소스는 그릇에 따로 담아 찍어 먹어요
  소스, 간장, 초장에는 당과 나트륨이 많아요
- ☐ 음료는 탄산수, 제로 음료, 레몬수로 마셔요
  콜라 한 잔에는 하루 권장량의 110%의 설탕이 들어있어요
- ☐ 음식에 소금을 더 뿌리지 않고 먹어요
  하루 소금 권장량은 2티스푼이에요
- ☐ 식사할 때 채소를 충분히 먹어요
  채소는 나트륨 배출을 도와줘요

! 오늘 하루 단짠 멀리하기

건강한 입맛을 되찾기 위해 단짠은 멀리하고 담백하게 먹기에 도전해 볼까요?

- ☐ 네, 지금 바로 실천할 수 있는 한 가지부터 도전해 볼게요!
- ☐ 아직은 달고 짭짤한 맛이 더 생각나요!

STEP. 04　도움받기

04 —— 담백한 건강 식사 실천 요령

단짠 음식을 줄인 담백한 식사를
직접 준비해 보세요.

메뉴 계획하기, 장보기, 재료 준비하기,
조리하기, 상 차리기 등
총 5단계에서 건강한 선택을 하는 거예요.

장 볼 때 신선식품 위주로 구매하면
담백하게 먹기를 시작할 수 있어요.

그리고 요리할 때 양념 속 소금양도 확인하면.
엄마와 아가의 건강에 좋은 담백한 식사 준비는 끝이에요.

04 건강하고 영양가 있는 **담백한 식사를 준비해 보세요!**

담백한 식사 준비 행동 요령 5단계 중에서 평소 실천하는 것에 체크해 보세요!

01 메뉴 계획하기
- 한 끼 식사에 염장 식품이 2가지 이하인가요? (김치, 젓갈 장아찌)   O   X
- 메뉴 구성에 나트륨 배출을 돕는 채소류, 두부, 해조류 음식이 있나요?   O   X
- 하루 한 끼는 김치 대신 생채나 겉절이 등의 음식으로 구성하나요?   O   X

02 장보기
- 가공식품보다 신선식품 위주로 구매하나요?   O   X
- 가공식품을 구매할 때 당과 나트륨 함량이 적은 제품을 선택하나요?   O   X
- 물엿, 설탕, 꿀 대신 대체 감미료를 구매하나요?   O   X

03 재료 준비하기
- 가공식품(햄, 어묵, 두부 등)은 조리 전에 물에 살짝 데치나요?   O   X
- 소금 간이 된 생선은 조리 전에 쌀뜨물에 20~30분 정도 담가두나요?   O   X

04 조리하기
- 음식은 조림이나 튀김보다 찜이나 구이로 준비하나요?   O   X
- 설탕, 소금 대신 천연식재료(식초, 양파, 깨)와 대체 감미료를 사용하나요?   O   X
- 조리 중 너무 뜨거울 때 간하지 않고 식힌 다음 먹기 직전에 간을 하나요?   O   X

05 상 차리기
- 작은 국그릇을 사용하나요?   O   X
- 따로 덜어 먹을 수 있는 앞접시를 준비하나요?   O   X
- 소금, 간장, 케첩 같은 양념류는 식탁에서 치워 놨나요?   O   X

> **각 단계에서 한 가지 문항이라도 O라면 '담백하게 먹기'를 시작할 수 있어요.**
> 앞으로 차근차근 식사 준비 5단계 문항 모두 O에 실천한다면 건강하고 담백한 맛에 익숙해질 수 있어요!

음식 요리에 사용하는 양념 속 소금양을 확인해 보세요! 소금 1g = 소금 1/2티스푼

멸치다시다	조미료	국간장	양조간장	된장
2티스푼	2티스푼 반	1티스푼	1티스푼	2스푼

고추장	쌈장	명란젓	청국장	굴소스
1/2스푼	1/2스푼	1스푼	2/3스푼	1/2스푼

TIP 나트륨 400 mg = 소금 1 g = 소금 1/2티스푼

STEP. 05　미션 도전하기

05 ── 가족과 함께 단짠 줄이기

엄마와 아가뿐만이 아니라
우리 가족 모두 담백한 식사를 시작해 보세요.

외식을 자주 한다면 주 1회만 하는 거예요.
가급적 천연 재료 본연의 맛을 느끼고,
국이나 찌개는 건더기 위주로 먹거나
숭늉을 국 대신 먹는 것을 추천드립니다.

단짠 가공식품보다는 과일, 우유를 먹고
대체 감미료로 당 섭취를 줄이는 거예요.

이제부터 우리 가족 모두 담백한 식사로
건강을 챙기세요!

05 사랑하는 가족들과 함께 담백한 식사를 실천해보세요!

온 가족과 담백하고 건강한 식사 함께하기

매실청 좋아! 우리 어머니

요리할 때도, 속 안 좋을 때도 매실청은 만능이지

☐ 어머니께 건강한 달콤한 대체 감미료를 추천해드려요

배달 음식 좋아! 우리 남편

집밥은 심심해서 배달 음식을 먹어야 든든한 기분이지

☐ 건강을 생각해서 양념이 적은 음식 위주로 외식은 주 1회만 허락하세요

간식 좋아! 우리 큰애

밥보다는 과자, 음료수가 맛있지

☐ 성장기 건강을 위해 생과일과 요구르트를 간식으로 추천해요

밑반찬 좋아! 임신 중인 나

입맛 없을 때는 달고 짭짤한 밑반찬을 먹어야 입맛이 돌지

☐ 나와 아가를 위해 신선한 생채, 겉절이 등 천연 재료 본연의 맛을 느껴보아요!

국, 찌개 좋아! 우리 아버지

국이나 찌개를 양껏 먹어야 식사를 한 기분이지

☐ 작은 국그릇에 건더기 위주로, 가끔은 숭늉을 국 대신 추천드려요

사랑하는 가족들에게 추천하고 싶은 담백한 식사 요령에 체크해 보세요!

처음임당 커리큘럼

DAY 12

더 건강한 식탁, 똑똑한 장보기

Mission 장보기 전 계획 세우기

식사 준비하려면 우선 식재료를 구매해야 합니다.
엄마와 아가를 위한 영양 가득 음식을 먹어야 하는데,
어떤 재료를 구매해야 할지 막막한 적 있으신가요?
오늘은 마트 가기 전에 건강한 장보기를
미리 계획하는 방법에 대해 알려드리겠습니다.

STEP. 01 평가하기

01 —— 평소 나의 장보기

임당 판정을 받은 후 장보기가 어려운 이유는
엄마가 먹은 음식이 아가의 건강과
연결되기 때문입니다.

나의 평소 장보기 모습을 떠올려 보세요.
장 볼 때 어떤 점이 어려웠는지
생각해 보는 거예요.

오른쪽 문항 중 1개라도 해당이 된다면,
건강한 장보기 습관을 만들어야 하는 상황이에요!

01 평소에 건강한 장보기를 **실천하고 있나요?**

평소 나의 장보기 모습을 떠올려보세요!

- 냉장고에 음식이 없으면 장을 보러 가요 ☐
- 먹고 싶은 음식이나 간식이 생각날 때 장을 보러 가요 ☐
- 꼭 사려고 했던 필요한 식재료를 깜빡할 때가 많아요 ☐
- 장을 자주 봐도 식사할 때 먹을 음식이 마땅치 않아요 ☐
- 과자, 빵, 음료 등 달달한 간식을 많이 사요 ☐
- 조리 방법이 간단한 인스턴트식품을 많이 사요 ☐

요즘 장 볼 때 어떤 점이 어려운가요?

- 영양적으로 균형을 맞추기 위해 어떤 식품을 사야 할지 모르겠어요 ☐
- 혈당을 덜 올리는 건강한 식품을 찾기가 어려워요 ☐
- 그때그때 먹고 싶은 식품을 자유롭게 사고 싶은데 참기가 힘들어요 ☐
- 장을 봐도 막상 식사를 준비할 때 재료가 부족해요 ☐
- 임당 관리 때문에 장을 보는 식품들이 예전만큼 맛이 없어요 ☐

⬇

위의 모든 문항 중에서 1개라도 해당하는 것이 있다면, 건강한 장보기 습관을 만들어보면 어떨까요?

☐ 네, 오늘 바로 건강한 장보기 방법을 알아볼게요   ☐ 그냥 지금처럼 자유롭게 장을 보러 갈게요

STEP. 02 **조언 받기**

02 —— 장보기 계획의 중요성

장보기 전에 계획 세우기는
건강한 식단의 기본입니다.

필요 목록을 적어 불필요한 구매를 줄이고,
영양성분표시를 확인한다면
건강하고 현명한 장보기를 완성할 수 있어요.

만약 무계획으로 장을 본다면
식비 문제도 있지만, 급격한 혈당 변화와
고혈당의 원인이 돼요.

그래서 장보기 전에 계획을 잘 세운다면
장바구니에 건강으로 가득 찰 거예요.

02 장보기 전 계획 세우기는 **건강한 식사의 시작이에요!**

건강하고 현명한 장보기 비법을 알려드릴게요!

필요 목록 적기 불필요한 구매는 자제하기 영양성분표시 확인하기 → 혈당 안정 균형 잡힌 영양 → 건강하고 현명한 장보기 성공!

Q&A 그럼 계획 없이 장을 보면 어떤 문제가 생길까요?

 충동구매로 구입하게 되는 과자, 음료 등 달콤 간식들

 필요 이상으로 많이 구입하게 되는 식재료들

 **급격한 혈당 변화**와 **고혈당**의 원인이 돼요!

 **경제적 손실**과 **과식**의 원인이 돼요!

 중복 구입으로 냉장고와 팬트리에 넘치는 식재료들

 식품군별 적정량 대비 부족하거나 빠진 식재료들

 **잦은 정리**가 필요해 **체력 저하**의 원인이 돼요!

 **영양 불균형**의 원인이 돼요!

'장보기 전 계획하기'를 잘 해내면
건강뿐만 아니라 알뜰한 소비와 식재료 정리까지 해결할 수 있겠죠?

☐ 네! 장보기 전 계획하기를 바로 실천해 볼게요!   ☐ 그냥 평소처럼 생각날 때마다 편하게 장을 볼래요!

STEP. 03　목표 설정하기

03 ── 장보기 전 계획 세우기

장보기 전 계획 세우기가 어렵다면,
식사구성 오뚝이를 소개 드리겠습니다.

식사구성 오뚝이는 하루 섭취해야 할
식품군 별 섭취 횟수를 몸통에 표현했어요.

구매 목록표에 곡류, 어육류, 과일류, 채소류,
우유 및 유제품을 꼼꼼히 작성하면
오뚝이처럼 균형 잡힌 식단을 드실 수 있어요.

엄마와 아가의 건강을 위해서,
오늘부터 식사구성 오뚝이에 맞춰서 장보기에
도전해 보세요!

03 안정적인 혈당과 건강 관리를 위해 '장보기 전 계획 세우기'를 추천드립니다!

쉽고 똑똑한 '장보기 전 계획 세우기'를 위해 식사구성 오뚝이를 이용해 보세요!

식사구성 오뚝이란?
하루 동안 섭취하면 좋은 식품군별 섭취량이 몸통에 표현되어 있어요

* 출처 : 한국보건산업진흥원

- 우유군
- 어육류군
- 채소군
- 곡류군
- 과일군

* 그림의 면적 비율만큼 하루에 필요한 식품군을 섭취해 주세요!

임당생활 꿀팁

TIP

식사구성 오뚝이 활용하기

균형 잡힌 영양 섭취를 위한 식품들을 확인하고 장을 보고 식사하면 어떤 경우에도 **오뚝이**처럼 절대 쓰러지지 않고 건강을 유지할 수 있어요!

평소 생활 패턴에 따라 매일, 3일, 7일 & 가족 수 등을 고려해서 식사 메뉴를 선정하고 **채소와 단백질, 통곡물 위주로** 필요한 음식을 정리해보세요!

식사구성 오뚝이의 식품군들이 포함되도록 식단을 미리 정하고 장을 볼 식품을 정리해 볼까요?

오늘의 식단		
아침	현미잡곡밥	시금치나물
점심		
저녁		
간식		

식품 구매 목록표				
곡류군	채소군	어육류군	우유군	과일군

완성된 구매 목록표를 장 볼 때 꼭 챙겨 놓으면 건강한 장보기를 완성할 수 있어요!

STEP. 04 도움받기

04 ── 마트 활용하기

장 볼 때 식재료 구매순서가 고민이라면,
마트 동선을 활용하는 것을 추천합니다.

먼저 채소 과일을 장바구니에 담으세요.
그다음에 실온 보관 식품을 담는데
이때 달콤한 음식은 과감하게 패스하세요.

냉장 및 냉동식품에서 영양성분표를 확인하고,
마지막으로 어육류를 구매하면
슬기로운 장보기 완성이에요.

이처럼 마트 동선을 활용한다면
균형 식사를 손쉽게 준비할 수 있어요!

04 알아두면 쓸모 있는 슬기로운 장보기 방법을 살펴보세요!

건강한 장보기를 위해 마트 동선을 정리해 볼까요?

01 채소와 과일 — 대부분 마트 입구에 과일과 채소가 진열되어 있어요

02 실온 보관 식품들 — 실온 보관 식품들 사이에서 우리를 유혹하는 간식은 패스해요

03 냉장 및 냉동식품들 — 유제품은 영양성분표시의 당 함량을 꼭 확인하고 선택해요

04 어육류 — 구매 후에 최대한 빨리 냉장고에 넣어주세요!

실전 연습! 오늘 장 볼 식재료를 순서에 따라 빈 장바구니에 적어보세요!

마트 장보기의 오해와 진실

냉동식품은 모두 건강에 안 좋다?
NO 냉동 채소, 과일을 활용해 보세요!
가미되거나 가공되지 않은 원재료를 급속 냉동한 냉동 채소와 과일을 소분하여 편하게 사용할 수 있어요.

밀키트만으로 식사 준비해도 괜찮다?
NO 양념과 식품 제공량을 확인해 주세요!
채소 제공량이 부족할 수 있기에 충분한 양의 채소를 추가로 준비해 주세요. 또 첨가당이 많으면 양념을 조금 덜거나, 수제 양념으로 대체해 보세요.

간식과 시식코너는 피하기 어렵다?
NO 마트 내 식품 진열 위치를 기억해두세요!
자주 가는 마트의 식재료 위치가 익숙해지면 필요한 식품이 있는 곳만 돌며 장 볼 수 있어요.

온라인장보기는 영양성분 확인이 어렵다?
NO 제품 하단 상세정보를 꼭 확인하세요!
식품의 사진과 가격 아래 상세정보의 영양성분표를 확인하고 구입할 수 있어요.

앞으로 장을 보러 갈 때, 다양한 식재료를 더 건강하게 챙길 수 있는 마음의 준비가 되셨나요?
나의 건강한 장보기 마음 준비 점수는 100점 만점에 (   ) 점이에요!

STEP. 05　미션 도전하기

05 ── 즐겁고 건강한 장보기

장보기는 엄마와 아가의
건강한 식사 관리의 시작입니다.

즐겁고 행복한 장보기를 위해
다음과 같은 방법을 시도해 보세요.

식후 장보기는 걷기 운동도 같이 할 수 있고.
배고픔으로 인한 충동구매를 막을 수 있어요.
장바구니에 채소, 과일, 유제품을 담고
수분 보충할 생수 한 병도 챙기세요.

그리고 장보기 체크리스트를 지참한다면
건강한 혈당과 고른 영양을 챙길 수 있어요!

05 장보기를 더 건강하게 할 수 있는 방법을 소개할게요!

더 건강한 장보기 방법 중 시도해 볼 수 있는 것에 모두 체크해 보세요!

장을 보며 혈당을 떨어뜨려요! 마트 걷기 운동 어떠세요?

① 식사 후 장보기

다양한 채소 고유의 천연색으로 화려한 장바구니를 완성하세요!

② 알록달록 장바구니 담기

균형 있는 식사를 위해 필요한 식품들 빠지지 않게 꼭 확인하고 담으세요!

③ 체크리스트 꼭 담기

시식, 홍보 코너에서 유혹하는 음식과 계획에 없던 품목은 과감히 지나치세요!

④ 충동구매 멀리하기

장보기
체크리스트 꼭 지참

⑤ 영양성분표 확인하기

여러 가지 식품 선택에서 비교해야 할 당류와 나트륨을 꼭 확인하세요!

⑥ 공복 장보기는 피하기

배고플 때는 필요 이상으로 많은 음식을 살 수 있으니 공복을 피해서 장을 보세요!

⑦ 생수 챙겨가기

유혹의 음식들을 바라보며 느껴지는 갈증과 허기짐을 수분 섭취로 달래보세요!

⑧ 건강한 간식 담기

영양가 가득한 간식으로 견과류와 우유, 과일을 챙겨주세요!

엄마와 아가의 건강을 챙기는 슬기로운 장보기, 앞으로 잘 해낼 수 있지요?

☐ 네! 오늘부터 바로 시작해 볼게요! 성공하면 나를 위한 보상 간식을 선물할게요!

☐ 평소처럼 그때그때 마음에 따라 편하게 장을 볼게요!

처음임당 커리큘럼

DAY 13

엄마와 아가의 외식, 더 건강한 메뉴

Mission 외식 전, 미리 음식 메뉴 적어보기

임당 관리를 할 때 외식이 생각나서 힘들지 않았나요?
외식을 하면 음식 자체도 문제가 되지만, 과식을 하게
되는 상황도 혈당 관리를 어렵게 하는데요.
오늘은 외식 시 건강하게 먹는 방법에 대해 알려드릴 테니
혈당 걱정 없이 건강한 외식을 즐겨보세요!

STEP. 01 평가하기

01 —— 요즘 나의 외식

임신 기간에는
체력적으로 힘든 일들이 많습니다.

이럴 때 남이 해준 밥이 당기진 않나요?

오늘은 생활 속 인기 외식 메뉴들을 보면서
내가 즐겨 먹은 건 무엇인지 확인해 보세요.

그리고 평소 나의 외식 장면을 회상해 보고,
어떠한 문제점이 있었는지 살펴보세요.
이를 해결해야 더 건강하게 외식을 즐길 수 있어요!

01 평소에 즐겨 먹던 외식 메뉴는 무엇인가요?

생활 속 인기 외식 메뉴 중에서 최근에 먹었던 음식에 체크해 보세요!

생활 속 인기 외식 메뉴들 (나에게 해당되는 메뉴가 없으면 직접 적어보세요!)

나와 아가의 몸보신을 위해	간편하고 맛있게 먹기 위해	잊을 수 없는 추억의 음식	분위기 내고 싶은 날에
☐ 삼계탕	☐ 치킨	☐ 김, 떡, 순	☐ 파스타
☐ 갈비탕	☐ 피자	☐ 볶음밥	☐ 브런치
☐ 한우구이	☐ 햄버거	☐ 면 요리	☐ 스테이크
☐ 갈비구이	☐ 보쌈	☐ 돈가스	☐ 초밥
☐ 삼겹살	☐ 족발	☐ 백반	☐ 쌀국수
(_____)	(_____)	(_____)	(_____)
(_____)	(_____)	(_____)	(_____)

생활 속 외식 메뉴를 일주일에 몇 번 정도 먹는 편인가요? 일주일에 (   ) 번 정도는 외식을 하고 있어요!

평소 나의 외식 장면에 체크해 보세요!

금요일 저녁부터 일요일 사이에는 외식이 잦아요	☐
아침에는 바빠서 편의점 음식, 저녁에는 힘들어서 배달 음식을 자주 먹어요	☐
약속 당일에 만나서 가족, 지인들이 먹고 싶은 메뉴를 즉흥적으로 정해요	☐
여러 사람들과 함께 먹을 때 자주 과식을 해요	☐
외식 후에는 입가심으로 디저트(음료, 케이크)를 자주 먹어요	☐
입을 개운하게 하려고 탄산음료를 자주 마셔요	☐

STEP. 02   조언 받기

02 ── 외식의 문제점

한국인이 자주 찾는 외식 메뉴 중에는
건강하지 않은 음식들이 많습니다.

특히 당류와 나트륨 함량이 많은 것이 문제인데요.

많게는 당류와 나트륨이 하루 권장량의 50%도
넘는다는 것을 알 수 있습니다.

이러한 외식 음식을 과잉 섭취할 경우
혈당이 급상승하거나 부종이 생기는 등의
문제가 발생할 수 있어요.

무작정 피할 수만은 없는 외식,
건강한 메뉴로 선택하는 힘을 키워볼까요?

02 생활 속 외식 메뉴의 당류와 나트륨 함량에 대해 알고 있나요?

혹시 외식이 일상화되었나요?

출처: 2019년 국민건강통계
한국인 하루 1회 외식률 **33.3%**

"세 명 중 한 명이 매일 한 번 이상 외식을 하고 있어요!"

출처: 닐슨코리아 조사결과
요리 횟수: 하루 1회 미만!
집밥 식사: 하루 1회!

"하루 한 끼만 집에서 먹고, 일주일에 한 번은 시켜 먹지만, 요리는 한 번도 하지 않아요!"

임당생활 꿀팁

TIP

즉흥적인 외식으로 생길 수 있는 문제들

1. 충동적으로 과식하기 쉬워요!
2. 단백질과 채소 섭취가 부족하기 쉬워요!
3. 당류와 나트륨을 과잉 섭취할 수 있어요!

간편하고 맛있어서 자주 찾는 다양한 외식 메뉴의 당류와 나트륨 함량을 확인해 보세요!

메뉴	당류		메뉴	나트륨
비빔냉면 (550 g)	27 g		된장찌개	2000 mg
비빔밥 (500 g)	25.7 g		부대찌개	2700 mg
회냉면 (550 g)	24.4 g		순두부찌개	1400 mg
물냉면 (800 g)	23.2 g		육개장	2900 mg
양념치킨 (350 g)	20 g		수제비	2100 mg
스파게티 (500 g)	15.6 g		어묵국	2400 mg
장어초밥 (250 g)	13.7 g		짜장면	2400 mg
돼지갈비 (350g)	11.4 g		짬뽕	4000 mg
새우튀김롤 (300 g)	11.1 g		비빔밥	1300 mg
회덮밥 (500 g)	10.9 g		카레라이스	1100 mg
유부초밥 (250 g)	10.7 g		양념치킨	1200 mg
떡갈비 (300 g)	8.9 g		우동	2400 mg

세계보건기구(WHO) 하루 당류 섭취 기준량: **50 g**
세계보건기구(WHO) 하루 나트륨 섭취 기준량: **2,000 mg**

엄마와 아가를 위한 건강한 외식 방법이 궁금하세요?

☐ 네, 물론이죠. 건강과 맛 모두 챙기는 외식 방법을 알고 싶어요!

☐ 아뇨, 그냥 스트레스 안 받고 즐겁게 먹고 싶은 대로 외식할래요

STEP. 03   목표 설정하기

03 ── 외식 전 미리 메뉴 적어보기

임당 관리에서 식단 관리는 정말 중요합니다.

평소 식단 관리를 잘 해왔더라도
외식 상황에서 무너지는 경우가 있는데요.

이러한 상황을 예방하기 위해서
외식을 가기 전에 미리 음식 메뉴를 정하는 것은
외식 관리에 많은 도움이 될 수 있어요.

단백질과 채소가 충분히 많은지,
탄수화물 양은 적절한지,
너무 달거나 짜지는 않은지 등에 대해
미리 고민해서 외식 메뉴를 정해보세요.

03 외식 가기 전, '미리 음식 메뉴 적어보기'를 추천드립니다!

엄마와 아가의 건강을 위한 필수 생활 습관

- 적절한 운동 및 체중 관리
- 건강 식사 관리
- 자가 혈당 관리

건강한 외식 메뉴 선택을 원한다면? → **미리 음식 메뉴 적어보기**

접시 절반 / 1/4접시 / 1/4접시

임당생활 꿀팁

TIP

외식 = 집 밖에서 먹는 일상식사!

외식 횟수를 줄이기 어렵다면 건강하게 외식하는 생활 습관이 필요해요!

손저울법을 활용해 보세요!

접시의 절반은 채소!
나머지는 곡류와 어육류!
영양 가득 외식 메뉴를 계획해 보아요!

외식 전 미리 메뉴 기록하기

메뉴	곡류	어육류	채소류	양념	추가 메뉴
생선구이 백반	밥 2/3공기	고등어 2토막	나물 1 작은 접시	겨자간장소스	+나물반찬 리필
오븐구이 치킨	-	치킨 1마리	-	양념소스	+고구마 반개, 샐러드

- 혈당에 직접 영향을 주는 곡류 음식은 **적정량만큼 섭취**해 주세요
- 첨가당과 염분이 많은 양념이 포함된 경우 **양념을 따로 또는 제공하지 않게 주문**해 보세요
- 곡류, 어육류, 채소 구성을 확인하고 **부족한 경우, 추가 메뉴를 생각해주세요!**

매일 점심 식사를 외식하시나요? 평일 저녁 배달 음식을 이용하세요? 주말 식사 약속이 있나요?
외식 전 메뉴를 적고 확인하면 건강한 외식을 준비할 수 있어요

STEP. 04 도움받기

04 —— 맛있고 건강한 외식 요령

건강한 외식을 하고 싶다면
외식 행동에 대한 변화가 필요합니다.

외식 시 채소는 필수로 주문하거나
양념은 따로 혹은 적게 주문하는 방법도
건강한 외식 행동이에요.

덜 짜고, 덜 달고, 덜 기름지게 먹는 것은 기본이고,
메뉴판 안에서 최대한 건강한 메뉴를 선택해 주세요.

만약 외식 상황에서 건강 행동을 깜빡했다면
기억했다가 다음 외식에서는 적용하면 돼요.

04 더 건강하고 맛있는 외식을 위한 '외식 건강 행동 요령'을 확인해 보세요!

당장 실천이 가능한 '건강한 외식 행동'에 모두 체크해 보세요!

건강한 외식 행동	건강한 외식 행동 TIP
☐ 밥과 면의 양 줄이기	밥은 두 숟가락, 면은 두 젓가락 덜어서 드세요!
☐ 채소 충분히 챙기기	채소 반찬, 샐러드를 추가 주문하세요!
☐ 양념은 최소화하기	'양념 적게', '양념 따로' 주문해 보세요!
☐ 덜 기름지게 먹기	지방이 적은 부위의 어육류를 선택하고, 튀김, 부침 대신 구이, 찜 요리를 선택하세요!
☐ 싱겁게 먹기	국, 찌개, 장류, 젓갈, 장아찌 및 절임 식품은 적게 드세요!
☐ 건강한 메뉴 선택하기	조림은 구이로, 양념고기는 생고기로, 나물 무침보다는 생채소로 선택하세요!

외식하면서 건강행동을 놓쳤어요, 어떡하죠?	걱정하지 말고 이렇게 해보세요
여러 사람들과 먹다 보니 과식하게 됐어요.	과식 후에는 산책을 하고 다음 식사의 양을 조금 줄여보세요!
식당에 채소 메뉴가 없어서 채소를 조금밖에 못 먹었어요!	평소에 채소 스틱 챙기는 습관을 가져보세요!
입맛이 없어서 단백질(고기, 생선, 달걀, 콩류)을 적게 섭취했어요.	다음 식사나 간식에서 단백질을 충분히 챙겨 드세요!
배고픈 상태에서 외식을 했더니 폭식을 해버렸어요.	외식 전 공복이 긴 경우 간단한 간식이라도 챙겨 드세요!

STEP. 05   미션 도전하기

05 ── 다양한 외식 즐기기

한창 크고 있을 아가를 위해서라도
좋은 메뉴를 고르고 싶은 마음이 크시죠?

한식, 양식, 일식, 중식, 분식, 편의점 등
언제 어떠한 상황에서 외식하더라도
건강하고 맛있게 외식을 즐길 수 있어요.

추천드리는 다양한 외식 메뉴를 살펴보세요.
비추천 음식을 선택하더라도
건강한 메뉴를 추가한다면
더 균형 있고 건강한 외식을 할 수 있어요.

가까운 시일 내에 외식 계획이 있다면,
건강한 외식 메뉴를 미리 정해보면 어떨까요?

05 어떠한 외식 장소에서도 건강하고 맛있게 식사할 수 있어요!

건강한 외식 추천 메뉴 중에서 좋아하는 메뉴를 선택해 보세요!

	추천	비추천	주의 사항	내가 좋아하는 메뉴
한식	한정식, 쌈밥, 비빔밥, 생선구이 정식, 보쌈 정식	국수, 떡국, 잡채, 전	떡, 전, 묵, 잡채 등의 탄수화물 음식은 조절이 필요해요!	
양식	스테이크, 샐러드, 야채스튜, 또띠아, 바베큐	파스타, 빵, 수프, 팬케이크	튀김, 볶음류 X 그릴, 오븐요리 O 소스, 드레싱은 따로!	
일식	회덮밥, 샤부샤부, 일본 가정식, 스키야키	초밥, 돈가스, 우동	샐러드 등 항상 채소를 곁들이고 초밥의 밥은 덜어내고 드세요	
육류, 구이	목살, 안심, 등심구이, 생오리구이, 족발	양념갈비, 불고기, 제육볶음	쌈채소와 함께 싸서 먹고, 밥, 면은 조금만 드세요	
패스트푸드	햄버거, 샌드위치, 브리또, 샐러드, 제로 음료	감자튀김, 콘샐러드, 비스킷, 파이, 탄산음료	햄버거 빵은 한 장만, 세트 말고 단품으로 드세요	
배달 음식	보쌈, 족발, 도시락, 오븐치킨구이	양념치킨, 팬피자	밥과 면은 적게, 채소는 충분히 챙기고 자극적인 양념은 피하세요	
분식	김밥, 백반, 야채토스트	떡볶이, 라면, 쫄면	채소와 단백질이 풍부한 메뉴를 고려해서 주문하세요!	
중식	짬뽕, 팔보채, 물만두, 유린기, 양장피	짜장, 탕수육	달고 짠 소스는 피하고 신선한 해산물과 채소가 가득한 메뉴를 선택하세요	
편의점	비빔밥, 김밥, 샐러드, 곤약라면, 구운계란	컵라면, 삼각김밥, 빵, 음료수	영양성분표시의 당류와 나트륨의 함량을 꼭! 확인하세요	

슬기롭게 외식한다면 소중한 아가와 함께 건강과 맛을 동시에 챙길 수 있어요!

처음임당 커리큘럼

DAY 14

뷔페, 슬기로운 선택

Mission 식이섬유, 단백질 먼저 먹기

여러 가지 음식을 마음껏 먹을 수 있는 뷔페는
입맛을 자극하며, 상상만 해도 기분이 좋습니다.
하지만 음식 선택을 잘못하거나 과식을 하게 되면
혈당 수치가 너무 올라갈까 걱정도 되지요.
오늘은 뷔페를 건강하게 즐길 수 있는 방법을 소개할게요.

> STEP. 01　평가하기

01 ── 나의 뷔페 스타일

여러 가지 음식을 마음껏 먹을 수 있는 점이
뷔페의 매력이라고 볼 수 있죠.

하지만 뷔페를 건강하게 이용하려면
음식의 선택을 영양가 있게 해야 하고,
양 조절도 적절히 해야 합니다.

혈당 걱정 없이 뷔페를 이용하려면
평소에 뷔페를 어떤 방식으로 이용하는지
생각해 볼 필요가 있는데요.

다양한 음식 중 어떤 음식부터 손이 갔는지,
과식하지는 않았는지 되돌아보세요.

01 평소 뷔페에 가면 어떤 음식을 접시에 주로 담고 있나요?

뷔페에서 첫 접시에 담았던 음식을 떠올려보세요!

미니 샌드
카나페, 미니 샌드, 파이, 꼬치 같은 예쁘고 간편한 음식을 먼저 먹어요!

단백질
뷔페의 꽃, 메인 요리 고기, 회 등을 든든하게 담아요

음료수
시원한 탄산음료나 과일주스로 입맛을 돋우고 식사를 시작해요

탄수화물
한국인은 밥심이죠. 김밥, 국수, 죽, 빵 등을 먼저 먹어요

과일 & 채소
새콤달콤 식욕을 돋우는 과일, 신선한 채소 샐러드를 먼저 담아요

평소 뷔페에서의 나의 모습을 확인해볼까요?

☐ 접시 한가득 음식을 담아요   ☐ 접시 절반 정도 음식을 담아요   ☐ 한두 가지의 음식만 예쁘게 담아요

뷔페의 상황에서 식단 관리의 어려운 점은 무엇인가요?

- 식사량 조절이 안 되고, 배부를 때까지 과식하게 돼요 ☐
- 자극적이고, 달콤하고, 기름진 음식에 자꾸 손이 가요 ☐
- 얼마만큼 음식을 먹었는지 가늠이 되지 않아요 ☐
- 건강한 음식과 건강하지 않은 음식의 구별이 어려워요 ☐
- 다른 사람들과 있을 때 식단을 조절하는 것이 불편해요 ☐

STEP. 02 조언 받기

02 — 뷔페의 문제점

뷔페에서의 식사가 걱정되는 이유는 무엇일까요?

뷔페에서 마음껏 음식을 먹다 보면 과식을 하게 되고,
평소에 먹지 않던 달콤한 음식에도 손이 가게 되죠.

갑작스레 식사 패턴이 무너지고, 과식까지 하게 되면
혈당 조절이 어려워지고, 체중이 많이 늘기도 합니다.

또한 무분별한 음식 섭취는 엄마와 아가에게
영양 불균형을 초래할 수도 있는데요.

이러한 상황이 일어나지 않게 하려면
뷔페에서 어떻게 대처해야 할까요?

02 뷔페에서의 자유로운 식사, **어떠한 문제가 있을까요?**

뷔페에서 문제의 식행동을 살펴볼게요!

접시에 음식을 한가득 담아 먹는 식행동

식사의 시작을 달콤한 음식으로 하는 식행동

본전 생각에 고기 위주로 과식하는 식행동

정해진 시간 안에 빨리 많이 먹는 식행동

뷔페에서 자유롭게 식사했던 행동들이 쌓였을 때 생기는 문제들

1. 잦은 과식은 엄마와 아가의 **바람직하지 않은 체중 증가를 유발해요!**
2. 과식이나 폭식은 그동안 노력한 **규칙적인 식사 패턴을 무너뜨려요!**
3. 무분별한 음식 섭취는 엄마와 아가의 **영양불균형을 초래할 수 있어요!**
4. 급격한 혈당 변화로 또 **자극적인 음식을 찾게 되는 악순환이 반복돼요!**

뷔페에서의 문제상황을 해결하는 간단한 방법은?

식이섬유와 단백질을 먼저 먹으면 과식을 예방하고, 안정적인 수준의 혈당 상황을 만들어줘요!

뷔페에서 식이섬유, 단백질 먼저 먹기에 함께 도전해 볼까요?

☐ 네, 바로 식이섬유, 단백질 먼저 먹기에 대해 알아보겠어요!

☐ 뷔페에서만큼은 그냥 마음대로 먹고 싶은 음식들 먹을래요!

STEP. 03   목표 설정하기

03 ── 식이섬유, 단백질 먼저 먹기

뷔페에서의 문제를 해결하기 위한 손쉬운 방법은
식이섬유와 단백질을 먼저 먹는 것입니다.

식이섬유는 주로 채소에 많이 들어 있고,
단백질은 고기, 계란, 생선, 달걀, 콩류 등에
많이 있다는 사실을 잘 알고 계시죠?

뷔페 식사는 각종 샐러드와 구운 채소로 시작하고
스테이크, 회, 해산물 찜 등의 단백질을 곁들여주세요.
그리고 10분 후에 볶음밥, 국수, 빵, 떡, 잡채 등의
탄수화물 음식을 섭취하는 것인데요.

이렇게 하면 포만감으로 인해 저절로
적정량만큼의 탄수화물을 섭취하게 됩니다.

03 슬기로운 뷔페 식사를 위해 '식이섬유, 단백질 먼저 먹기'를 추천드립니다!

건강한 코스요리 순서로 뷔페를 즐기면 혈당이 천천히 변화해요!

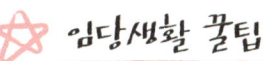

TIP

식이섬유와 단백질은 저당지수 영양소로 **혈당을 천천히 올리고 포만감을 줘서 전체 식사량과 탄수화물 섭취량 조절에** 도움을 줘요!

식이섬유와 단백질을 먼저 먹고, 10분 후에 디저트를 먹으면 혈당을 천천히 올려요!

TIP

일반적으로 식사 시작 후 10~15분 정도 지나면 배부름을 느껴요.

식이섬유와 단백질을 먼저 먹고, 10분 이상 천천히 씹어 먹으면 **저절로 탄수화물 섭취 조절 효과가 생겨요!**

앞으로 뷔페에 갈 상황을 대비해 나만의 건강한 코스요리를 계획해 볼까요?

- 전채요리로 ( ) 담아
- 코스요리로 ( ) 담아
- 10분 이상 먹겠어요!
- 그 후 디저트로 한 끼 적정량에 맞춰 ( ) 담겠어요

STEP. 04 　도움받기

04 ── 슬기로운 뷔페 식사 요령

뷔페에서의 시작은 채소임을 다시 한번 강조할게요!

채소의 식이섬유는 혈당을 천천히 올리는 약이라고
생각해도 될 만큼 혈당 조절 효과가 커요.
먼저 채소를 먹고, 중간중간에 또 먹어도 좋습니다.

뷔페에서 본전을 뽑는 가장 우아한 방법은
많이 먹는 것이 아니라 분위기를 즐기는 거예요.

천천히 뷔페를 돌아다니며 음식을 담아서 먹으면
적절한 식사량과 활동량을 모두 챙길 수 있어요.

건강한 뷔페 행동 요령이 생각보다 다양하죠?

04 건강한 뷔페 식사를 위한 **행동 요령을 확인해 보세요!**

뷔페 건강 행동 요령 중 도전할 수 있는 것에 모두 체크해 보세요!

먼저 채소를 먹고, 중간중간에 또 먹기 ☐
혈당을 천천히 올리고 포만감을 주는 채소를 식사 중에도 잊지 않고 챙겨주세요

건강한 음식 선택 즐기기 ☐
뷔페의 매력은 과식이 아니라 건강하고 맛있는 음식을 골라 먹는 재미에요

식탁에 앉자마자 물 한 잔 마시기 ☐
물 한 잔 마시기로 약간의 포만감이 생겨 폭식의 위험을 줄일 수 있어요

먹지 못한 음식들 아쉬워하지 않기 ☐
이번에 먹지 못한 음식은 다음 뷔페 식사에서 먹어도 괜찮아요

뷔페의 가격보다는 즐거운 분위기를 즐기기 ☐
본전 생각에 과식하게 되면 건강과 기분 모두가 나빠질 수 있어요

여러 가지 음식을 먹는 대신 음식 섭취량은 줄이기 ☐
평소 섭취량의 4/5만큼 먹고, 섭취하는 음식의 수를 늘려보세요

모든 양념과 소스는 따로 담기 ☐
설탕과 나트륨이 가득한 양념과 소스는 작은 접시에 따로 담아 찍어서 드세요

뷔페 홀 한 바퀴 돌고 음식 담기 ☐
음식을 둘러보고 한 가지 음식을 선택하면 적절한 식사량과 활동량을 모두 챙길 수 있어요

디저트 코너 지나치기 ☐
각종 빵과 케이크, 음료 등의 설탕이 많이 들어 있는 음식은 가급적 피하세요

대화하며 천천히 먹기 ☐
천천히 먹으면 혈당 조절에 도움이 되므로 꼭꼭 씹어 30분 이상 천천히 식사하세요

한 접시에 한 가지 음식만 2숟가락 크기만큼만 담기 ☐
한 접시에 한 가지 음식을 조금씩 담아 식사하면 저절로 식사량이 조절돼요!

다 먹은 접시는 옆에 쌓아두기 ☐
다 먹은 접시를 테이블 한곳에 쌓아 놓고 나의 음식 섭취량을 확인해 주세요

STEP. 05   미션 도전하기

05 ─── 건강 코스 요리 즐기기

'전채 요리 - 메인 요리 - 디저트 - 음료'
뷔페에서도 얼마든지 코스 요리를 즐길 수 있어요.

전채 요리로 신선한 샐러드를 식사를 시작해 보세요.

메인 요리로 각종 육류와 해산물을 천천히 양껏 드세요.

디저트로 평소 좋아하는 탄수화물 식품인
파스타, 피자, 잡채, 국수 등으로 1/2 접시면 충분하죠?

음료로는 입을 개운하게 해줄 녹차나 홍차, 우롱차를
마시면서 뷔페의 분위기를 맘껏 누려보세요.

뷔페에서의 식사가 스트레스가 아닌 즐거움이 되겠죠?

뷔페에서도 혈당 걱정 없는
나만의 코스 요리 즐기기

'전채 요리 - 메인 요리 - 디저트' 코스 요리 순서로 더 건강하게 뷔페 식사를 즐겨보세요!

전채 요리	메인 요리	디저트	음료
채소 가득한 샐러드를 먹어요	어육류를 챙겨 먹어요	탄수화물은 가장 먹고 싶은 음식을 조금만 먹어요	녹차, 홍차, 우롱차 등의 맑은 차를 마셔요!

소중한 사람들과의 뷔페 약속이 생겼나요?
건강한 코스 요리 순서대로 각 접시에 미리 먹을 음식을 적어보세요!

전채 요리	메인 요리	디저트	음료
각종 생채소	스테이크	볶음밥	플레인 탄산수
쌈 채소	생선구이	비빔밥	제로 탄산음료
나물	두부	국수, 냉면	생수
생채	스크램블 에그	떡	보리차
구운 채소	회	파스타	아메리카노
시저 샐러드	새우구이	빵	홍차
카프레제	킹크랩 찜	잡채	녹차

| 채소 섭취로 식사를 시작해 보세요 식사의 전 과정에서 채소를 지속적으로 섭취해 주세요! | 덜 기름진 부위와 요리 방법을 선택해 보세요! | 전채 요리와 메인 요리를 든든하게 먹는 대신 디저트는 조금만 드세요! | 첨가당이 없는 맑은 차나 탄산수, 제로 음료로 깔끔하게 식사를 마무리해 보세요 |

처음임당 커리큘럼

DAY 15 작은 노력,
가벼운 운동

Mission 하루 20분, 허벅지 운동하기

엄마와 아가의 건강을 위해 운동 실천은 기본입니다.
특히 허벅지 운동은 혈당 관리에 많은 도움이 되는데요.
홀몸이 아닌 상태에서 허벅지 운동이 어렵기도 합니다.
오늘은 쉽고 안전하게 할 수 있는 허벅지 운동을 소개할게요.

STEP. 01　평가하기

01 ── 나의 운동 생활

혈당을 관리할 때 운동은 선택이 아닌 필수입니다.

요즘 운동은 얼마나 하고 있나요?

일주일에 몇 번 정도 하고 있는지,
한번 운동할 때 지속 시간은 얼마나 되는지,
주로 어떤 운동을 하고 있는지,
돌아보는 시간을 가져보세요.

만약 운동을 거의 하지 않고 있었다면
어떤 이유로 운동을 피했는지 생각해 보세요.

오늘은 엄마와 아가의 건강을 위해
앞으로의 운동 계획을 세워보면 어떨까요?

01 요즘 나의 운동 생활은 **어떠한가요?**

최근 한 달 동안 나의 운동 패턴에 체크해 보세요!

일주일에 몇 번 정도 운동을 하나요?	☐ 거의 안 해요	☐ 일주일에 최소 1~2번은 하려고 해요	☐ 이틀에 한 번 정도 하고 있어요	☐ 매일 하려고 노력해요
운동 지속 시간은 얼마나 되나요?	☐ 30분 이하	☐ 30분~1시간	☐ 1~2시간	☐ 2시간 이상
어떤 운동을 주로 하고 있나요?	☐ 걷기	☐ 수영	☐ 요가	☐ 기타( )

만약 운동하기가 어렵다면, 어떠한 어려움이 있을까요?

- ☐ 힘들고 귀찮아서 운동을 안 하게 돼요
- ☐ 아가에게 위험할 것 같아 운동이 꺼려져요
- ☐ 바빠서 규칙적으로 운동하기 어려워요
- ☐ 주변에 체육 시설이 없어서 운동할 수 없어요
- ☐ 안전한 운동 방법을 몰라서 운동을 못하고 있어요
- ☐ 원래부터 운동은 하지 않아요

실패하지 않는다는 보장이 있다면, 운동에 도전해 볼 의향이 있으신가요?

☐ 네, 물론이죠. 나와 아가 건강을 위해 꾸준히 운동을 해보겠어요!

☐ 아니요. 아직은 운동하기에 어려운 상황이네요

처음임당 3주차

STEP. 02 **조언 받기**

02 —— 근력 운동 효과

임신 중 근육 운동은 순산에 도움을 줍니다.

운동은 스트레스를 줄여줘 임신 우울증을 예방해요.
임신 중 적절한 체중 유지와 출산 후 비만도 예방해요.

또한 근육 운동은 근력을 강화하고,
무엇보다 혈당 개선에 효과가 있어요.

특히 허벅지 운동은 혈당 개선 효과가 대단한데요.
허벅지 근육이 강화되면 인슐린 저항성을 개선합니다.

이렇게 효과가 좋은 운동을 앞으로 꼭 해야겠지요?

02 근력 운동은 엄마와 아가에게 어떠한 도움이 될까요?

근력 운동의 효과 중 나에게 필요한 것에 모두 체크해 보세요!

1 순산 효과
근육의 피로도를 낮추고, 근력과 체력이 향상되어 순산에 도움을 줘요

2 임신 우울증 예방
스트레스를 해소 시켜 심리적 안정감을 높여요

3 임신으로 인한 통증 완화
허리와 골반의 통증 및 압박감을 줄여줘요

4 근육 강화
복부와 골반 근육을 강화하여 자궁 지지를 도와줘요

5 혈당 개선
인슐린 저항성이 개선되고 혈당 안정화에 도움이 돼요!

6 체중 유지
적절한 체중 증가를 유지하고, 출산 후 비만을 예방해요

근력 운동 중, 허벅지 운동은 필수예요!

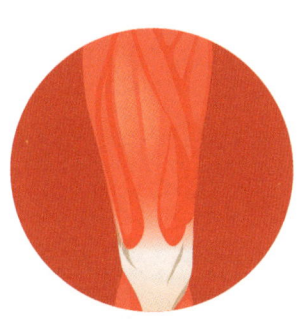

허벅지 근육량
우리 몸 근육 40% 차지

근육 = 혈당 조절 기관

| 허벅지 근육량이 감소할 경우 | → | 포도당 사용이 줄어, 혈당 조절이 어려워요! |
| 허벅지 근육량이 유지될 경우 | → | 포도당 사용이 늘어, 혈당 조절이 개선돼요! |

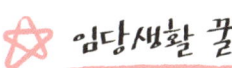 임당생활 꿀팁

TIP
근육은 섭취한 포도당을 저장했다가 에너지원으로 사용해요. **만약 근육이 줄면 포도당을 사용하지 못해, 혈관에 쌓여 혈당이 높아져요!**

허벅지 운동, 오늘부터 시작해 볼까요?

☐ 네! 바로 시작할게요!   ☐ 내일부터 해볼게요!   ☐ 아직 마음의 준비가 필요해요!

STEP. 03 목표 설정하기

03 ── 하루 20분 허벅지 운동하기

건강한 혈당 관리와 출산을 위해
하루에 20분만 허벅지 운동에 도전해 보세요.

스쿼트, 다리 뒤로 뻗기, 앉아서 무릎 펴기, 벽 밀기 등
그 외에도 허벅지 운동은 아주 다양한데요.

허벅지 근육이 혈당 조절 기관이라고 생각하시고,
허벅지 운동에 꾸준히 투자하셨으면 해요.

하지만 가장 중요한 건 안전이에요.
무리한 운동은 엄마와 아가에게 위험하니
몸 상태에 맞게 조심해서 허벅지 운동을 해주세요.

건강한 혈당 관리와 출산을 위해
'하루 20분, 허벅지 운동하기'를 적극 추천드립니다.

'간단하고 쉬운 허벅지 운동' 중, 도전해보고 싶은 것에 체크해 보세요!

☐ 스쿼트

벽에 엉덩이와 등을 대고 벽에서 한 걸음 떨어져
양발을 어깨너비로 벌려 서세요

벽에 등을 댄 채로 무릎의 각도가
120°~140° 정도 구부러지도록 앉으세요

엉덩이를 떼지 않고 다시 일어나세요

☐ 다리 뒤로 뻗기

의자를 잡은 상태로 다리는 어깨너비로 벌려 서주세요

오른쪽 다리를 편 상태로 엉덩이와 허벅지 뒤쪽에
힘을 주어 다리를 뒤로 최대한 뻗으세요

이때 상체를 앞으로 숙이거나
허리에 부담이 가지 않도록 하세요

천천히 제자리로 원위치해 주세요

☐ 앉아서 무릎 펴기

의자에 허리를 바로 세우고 앉으세요

한쪽 다리를 올리며 무릎을 펴세요

발목을 직각으로 만든 상태에서
허벅지에 힘을 주고 3~5초간 버티세요

☐ 벽 밀기

선 자세에서 몸 앞쪽에 벽을 두고 다리를 앞뒤로 벌려 서세요

손을 벽에 대고, 허리를 곧게 펴고,
뒤쪽 다리를 완전히 편 채, 앞쪽 무릎을 굽히세요

몸을 앞으로 기울이며, 양발의 뒤꿈치가
바닥에서 떨어지지 않도록 하세요

종아리와 아킬레스건 부위가 늘여서 펴지는 느낌에
집중하며 8~10초간 정지하세요

STEP. 04　도움받기

04 ── 운동 유의 사항

운동할 때는 절대 무리하지 않아야 하며,
아가를 보호하기 위해 안전한 운동을 해야 합니다.

운동 시작 전에는 반드시 준비 운동을 실시해 주세요.
몸을 풀어주는 맨손 체조나 스트레칭을 추천드려요.

안전한 운동 기구를 사용하고,
운동 중 조금이라도 힘들면 휴식을 취해주세요.

누워서 하는 운동은 피해야 하며,
몸에 이상 반응이 있으면 곧바로 운동을 중단해 주세요.

체력과 운동 상태는 모두 다르기 때문에
운동 전에 의료진의 상담을 받기를 추천드립니다.

04 운동은 안전하게 하는 것이 **제일 중요해요!**

아래의 '근력 운동 시 고려해야 할 사항' 중, 확인한 것에 체크해 주세요!

1. 준비 운동을 해주세요!
준비 운동은 체온을 상승시키고 근육을 이완시켜요.
5분 정도 제자리 걷기, 맨손 체조, 스트레칭을 추천해요

2. 호흡을 조절해요!
충분한 호흡은 근육과 혈액에 산소를 공급해요
힘을 줄 때 천천히 숨을 내뱉고, 힘을 뺄 때 천천히 숨을 들이마셔요

3. 안전한 운동 기구를 사용해요!
가벼운 운동 기구에 지탱하면 몸에 균형잡기가 어려워 위험해요
벽, 무게감 있는 의자 등을 두고 안전하게 운동하세요

4. 운동과 휴식을 반복해요!
휴식 없이 운동을 오랫동안 할 경우, 체력에 무리가 될 수 있어요
운동 중 조금이라도 힘들면 중간에 휴식을 반복해 주세요

5. 누워서 하는 운동은 피해요!
임신 중기 이후 커진 자궁이 혈관을 압박하여 혈류 흐름을 방해할 수 있어요
저혈압, 어지러움 예방을 위해 반듯이 눕는 자세는 피해주세요

6. 이럴 땐 운동을 중단하세요!
질 출혈, 어지러움, 피곤함, 호흡 곤란, 자궁 수축 및 통증이 있는 경우에는 운동을 중단하세요!
운동 중 이상 신호를 잘 확인하면서 산과적 위험이 있을 경우, 즉시 중단하세요

7. 운동 전 의료진과 상담하세요!
임산부마다 체력과 건강 상태가 모두 달라요
운동 전 반드시 의료진과 상담을 통해 운동 참여 여부를 결정하세요

8. 주변 온도를 확인하세요!
임신 중에는 쉽게 체온이 오르고 탈수가 되기 쉬워요
덥거나 습한 환경에서는 운동을 피해주세요

STEP. 05 미션 도전하기

05 ── 나만의 운동 계획 세우기

꾸준한 운동의 중요성은 잘 알고 있지만
운동 시간 20분을 마련하기가 어려울 수 있어요.

무엇이 운동을 방해하는지 살펴보고,
운동 방해물을 제거해 보세요.

만약 바빠서 운동할 시간이 없다면?
출퇴근 시간 걷기를 통해 운동 시간을 확보할 수 있어요.

몸이 무겁다면 가벼운 스트레칭도 괜찮아요.

중요한 것은 매일 조금이라도 시간을 내서
운동하려는 노력이고, 꾸준한 운동을 통해
엄마와 아가의 건강을 잘 챙겨 보세요.

05 운동 방해물을 처리하고, 나만의 운동 계획을 세워보세요!

운동 방해물을 제거하는 방법을 확인해 보세요!

운동하는 것이 힘들고 귀찮다면?	바빠서 운동할 시간이 없다면?	주변에 운동할 체육 시설이 없다면?	임산부 운동 프로그램을 따라 하기가 힘들다면?
누워서 스트레칭을 해보세요	출퇴근 길에 걷기 시간을 확보해 보세요!	주변 생활 공간을 체육 시설로 활용해 보세요!	꾸준한 산책도 훌륭한 운동이에요!
아침에 일어나서, 잠자기 전 침대에서 간단한 스트레칭으로 몸의 긴장을 풀어보세요	출퇴근 시간에 각각 10분만 걸어도 하루 20분 활동량을 유지할 수 있어요	침대, 사무실 의자, 소파를 활용해서 스트레칭이나 근력 운동을 할 수 있어요	무리한 운동보다 편하게 시작할 수 있는 산책을 꾸준히 유지해 보세요

나의 상황에 맞는 운동 목표를 세워보세요!

어디에서	무엇을	얼마 동안	운동 횟수
☐ 침대 위에서	☐ 스트레칭을	☐ 틈틈이	☐ 생각날 때마다 해볼게요
☐ 사무실 의자에 앉아서	☐ 하체 운동 (다리를 위아래로 들어 올리는)을	☐ 5분 정도	☐ 매일 노력해 볼게요
☐ 출퇴근길에서	☐ 케겔 운동을	☐ 10분 정도	☐ 일주일에 한번 해볼게요
☐ 주변 근린공원에서	☐ 걷기를	☐ 20분 이상	☐ 일주일에 3번 이상 해볼게요
( )	( )	( )	( )

이 책을 만든 사람들

처음임당 3주차

초판 1쇄 2022년 8월 15일

펴낸곳	(주)닥터다이어리
주소	서울특별시 강남구 대치동 890-8 연봉빌딩 8층 (주)닥터다이어리
전화	02-2135-2098
홈페이지	www.drdiary.co.kr

이 책을 만든 사람들		
	총괄	이산인균
	콘텐츠 제작 및 기획	김연수 / 박세연 / 임사라 / 김은혜
	편집 · 디자인	박길주
	영상 촬영 및 편집	김현민 / 양세윤 / 임태균

등록 제 2022-000210호

정가 26,000원 (4권 1세트) / 낱권 6,500원

ISBN 979-11-92593-11-1

ISBN 979-11-92593-08-1 (세트)

---

* 본 교재의 저작권은 (주)닥터다이어리에 있습니다.
 본 교재의 내용의 전부 또는 일부를 재사용하려면 반드시 저작권자의 서면 동의를 받아야 합니다.